arte é infância

Mari Miró e o Cavaleiro Azul

VIVIAN CAROLINE LOPES

Coleção arte é infância
Pois arte é infância! Arte é não saber que o mundo já é e fazer um.
Rainer Maria Rilke

Para minha mãe, a ensolarada ponte primeira do mundo espiritual.

CIP-BRASIL CATALOGAÇÃO NA PUBLICAÇÃO
SINDICATO NACIONAL DOS EDITORES DE LIVROS, RJ

L856m

Lopes, Vivian Caroline
  Mari Miró e o cavaleiro azul / Vivian Caroline Lopes. – 2.ed. – Barueri, SP : Ciranda Cultural, 2017.
  48 p. : il. ; 24cm   (Arte é infância)

  ISBN: 9788538071860

  1. Literatura infantojuvenil brasileira. I. Título. II. Série.

17-40778   CDD: 028.5
                            CDU: 087.5

Este livro foi impresso em fonte Joanna em outubro de 2021.

Ciranda na Escola é um selo da Ciranda Cultural.

© 2014 Ciranda Cultural Editora e Distribuidora Ltda.
Texto © 2014 Vivian Caroline Fernandes Lopes
Ilustrações: Vivian Caroline Fernandes Lopes
Produção: Ciranda Cultural

2ª Edição em 2017
2ª Impressão em 2021
www.cirandacultural.com.br

Todos os direitos reservados. Nenhuma parte desta publicação pode ser reproduzida, arquivada em sistema de busca ou transmitida por qualquer meio, seja ele eletrônico, fotocópia, gravação ou outros, sem prévia autorização do detentor dos direitos, e não pode circular encadernada ou encapada de maneira distinta daquela em que foi publicada, ou sem que as mesmas condições sejam impostas aos compradores subsequentes.

arte é infância

Mari Miró e o Cavaleiro Azul

Ciranda na Escola

Tudo começou no dia em que Mari e Felipe ouviram um som com formas e cores. É! Estranho... Eles também acharam.

Na hora, perguntaram um para o outro:

– Ué, desde quando som tem forma e cor?

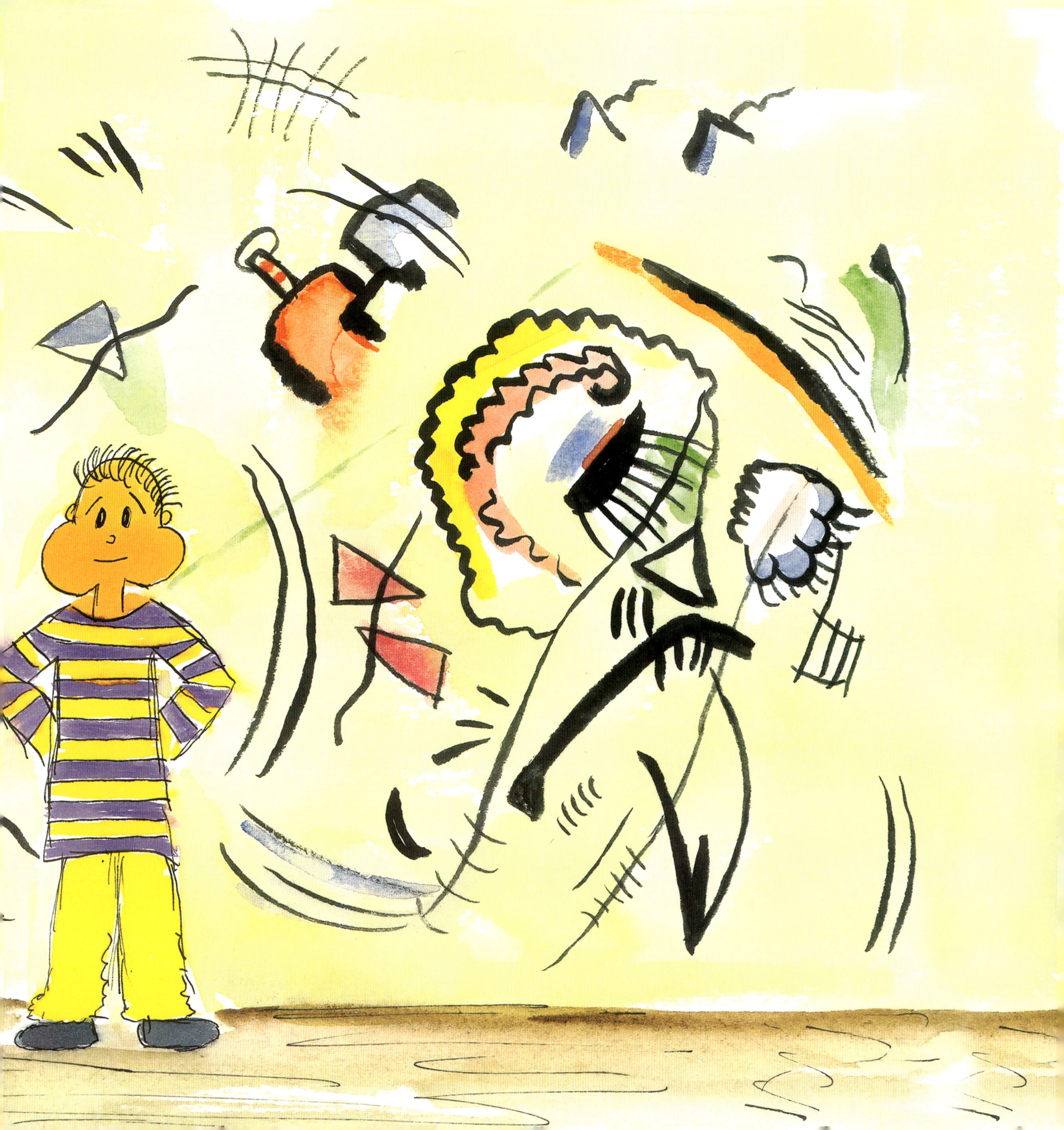

Então, começaram a seguir a trilha bem esquisita do som (mais parecia um monte de rabisco). A cada novo traço ou forma, ele aumentava ou diminuía, ou ainda ganhava outras vozes finas, grossas, tremidas, metálicas, roucas, compridas ou curtinhas! Foram apreciando, rindo, ficando com medo, até que chegaram à origem daquele som. Era uma mulher. Parecia uma diva daquelas bem antigas.

– Eu não acho que a Cantora pareça esse negócio aí que você falou...

– Ai, Mari! Lá vem você de novo... Diva é como se fosse uma divindade feminina, uma deusa, uma musa, uma mulher formosa. E muitas pessoas usam esse nome para cantoras ou atrizes notáveis.

– "Notáveis" é porque a gente dá nota?

– Não, notáveis é o plural de notável, que significa inesquecível!

– Ah! Agora sim eu entendi tudo. A Cantora era sim uma notável diva! Nunca vamos esquecer de tudo o que ela nos proporcionou e da sua voz tão colorida e bonita.

Naquele momento, no qual viram pela primeira vez a Cantora, o Felipe (que sempre foi bem apressadinho) perguntou:

– Ô, senhora Cantora, como é que você consegue cantar com forma e cor?

– É muito fácil! É só cantar com sentimento, mas tem de ser o mais profundo sentimento que vive dentro de você – respondeu a moça bonita com seu buquê de rosas na mão, acompanhada de um homem bem branco que tocava piano.

Na verdade, os dois eram muito brancos! Parecia até que estavam mortos. O som da voz deles era meio engraçado, e não era só porque era colorido.

A Mari não aguentou de curiosidade e quis saber mais.

– Mas, senhora Cantora, explique-me uma coisa: vocês estão com essas roupas antigas e quentes, está me dando calor só de olhar! E esse negócio de cantar com som e forma... Não sei, não! Estou achando que vocês já morreram ou então que não são daqui, do Brasil!

– Olha só, Pianista! Os garotos são espertos! Será que a gente deve contar a eles? – respondeu a Cantora, olhando para o acompanhante.

– Claro que devem! Contem para a gente! Nós não temos medo de fantasmas! – disse Felipe, já se preparando para correr.

– Nós somos criação de um pintor. Um pintor muito famoso que revolucionou a história da arte. Ele gostava muito de música, além de artes plásticas. E, realmente, ele não é brasileiro. Nasceu na Rússia, um país muito frio e muito grande.

– Nossa, que legal! – Mari disparou um monte de perguntas sem dar nenhum tempinho para a Cantora responder. – E como a gente faz para ir até lá? Quero conhecer todas as obras dele. Por acaso ele era amigo do Paul Klee? Porque eu descobri que ele também gostava muito de música...

– Sim, eles eram amigos! Para ir até a Rússia conhecer mais sobre o nosso querido Wassily Kandinsky, vocês precisam apenas querer. Fechem os olhos e desejem, então, lá estarão – disse a Cantora, bem animada com os pequenos artistas apaixonados.

– Vixi! Que nome é esse? Ainda bem que agora a gente aprende também o "w", o "k" e o "y"! Esse pintor tem as três letras que a gente não tinha no nosso alfabeto! – disse Mari, que sempre foi muito inteligente (como vocês já devem ter percebido).

– Pois é – disse a Cantora. – São sons muito importantes para o idioma russo. Mas você sabe que o alfabeto de lá não é como o de vocês. Chama-se alfabeto cirílico e o nome do Kandinsky, por exemplo, é escrito assim: **Василий Кандинский.**

– Aaaaah! – Felipe gritou. – Como vamos fazer para conversar com as pessoas na Rússia quando chegarmos lá?

– A gente dá um jeito! – falou Mari já com pressa, pegando firme na mão do Felipe, bem mandona. – Feche logo os olhos, vamos! Pense com força que quer a gente lá!

Felipe obedeceu.

Os dois se despediram dos recentes amigos com pressa de chegar na Rússia.

– Tchau, e obrigado! – gritaram os dois para a Cantora e o Pianista.

Em seguida, como nas histórias de contos de fadas, os dois se transportaram para a Rússia!

Quando abriram os olhos, já estavam em um lugar muito bonito.

– Olhe, Felipe, que lindo é aqui na Rússia! – exclamou Mari Miró, fascinada pelas cores e pelos castelinhos que estavam lá no fundo da paisagem.

– É verdade, Mari! É muito bonito... Mas tem alguma coisa estranha! Parece que estamos no quadro mesmo. Ninguém se mexe aqui! – Felipe reparou.

– O que será que não deu certo? Eu nunca cheguei perto de um quadro que não se mexesse nas minhas histórias! – Mari ficou intrigada, e tentou de todas as formas.

– Ô, mocinha! Você aí em cima do cavalo... Fale comigo! Desça daí! – exclamou Mari perto do par a cavalo.

– Ela está namorando, Mari. Acho que não está ouvindo – Felipe tentou explicar. – Moça, estátua – Felipe a chamou, tentou até assoprar, fazer coceguinha e nada!

Os dois desanimaram. Será que essa seria a primeira vez que não conseguiriam fazer uma viagem pelos quadros de um pintor? Que russo malvado esse tal de Kandinsky!

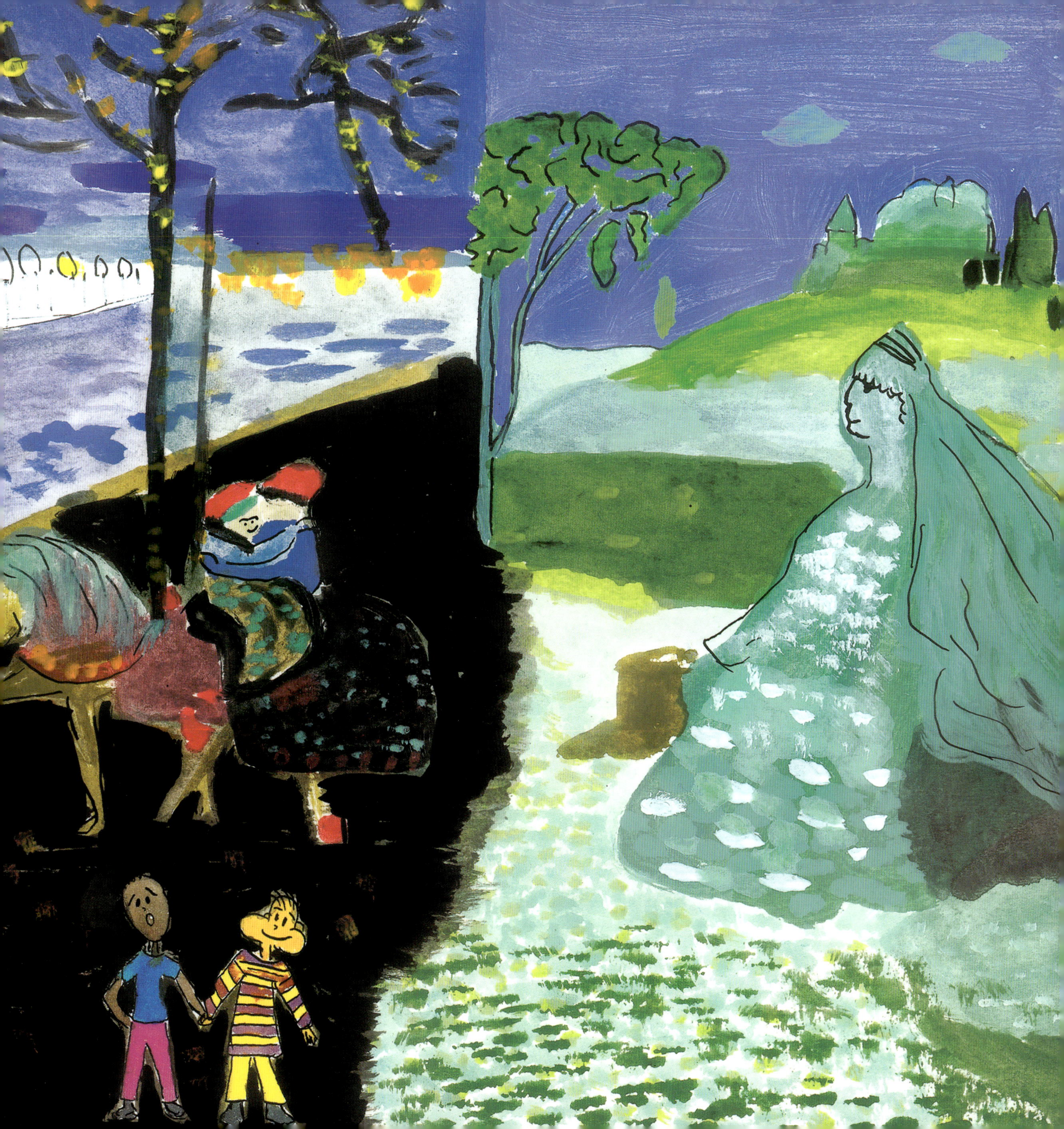

12·13

Enquanto caminhavam tristes pelos quadros, repararam em uma placa com a inscrição: **Леди в Москве**. Não ajudou muito, é verdade, mas resolveram segui-la.

No meio do caminho, Mari parou:

– Felipe! Alguma coisa está errada! Por que será que conseguimos falar com a Cantora, já que ela também era criação do Kandinsky?

– É verdade! – respondeu Felipe, pensando em uma estratégia. – Vamos andar na direção em que esta placa aponta, enquanto tentamos lembrar o que fizemos para conseguir conversar com a Cantora.

14・15

Finalmente, chegaram ao local, um quadro muito colorido. Mas tinha alguma coisa estranha no ar. Todos continuavam parados. E os dois começaram a tentar entender.

– Ai! – exclamou Mari. – Essa moça está sem um braço! Que dor horrível! Mas ela não parece estar sentindo dor. Será que ela está com medo?

– Eu acho que sim... Esse negócio preto parece uma mancha indo em direção ao sol – analisou Felipe.

Então, perceberam uma lágrima escorrendo no rosto da dama, bem no centro da tela. A lágrima escorregou e caiu bem na cara de Mari Miró. A surpresa foi tanta que começaram também a ouvir um som. Era uma música triste produzida por violinos e flautas.

– Ela começou a se mexer! – vibrou Mari.

Nesse momento, além da música triste, ouviram o trote de um cavalo.

Eis que a preocupação e a angústia que estavam sentindo tocaram uma outra obra de Kandinsky. E ela veio a galope.

– Meus cumprimentos! – disse o cavaleiro. – Sejam bem-vindos aos quadros de Wassily Kandinsky. Vocês estão a um passo de descobrir como realmente entrar neste mundo.

– Olá! – responderam os dois.

– Se você veio até aqui falar com a gente, é sinal de que estamos conseguindo mesmo – respondeu Mari Miró.

– Sim. Estamos entrando em um mundo onde apenas querer não basta. Primeiro vem o sentimento – o cavaleiro advertiu.

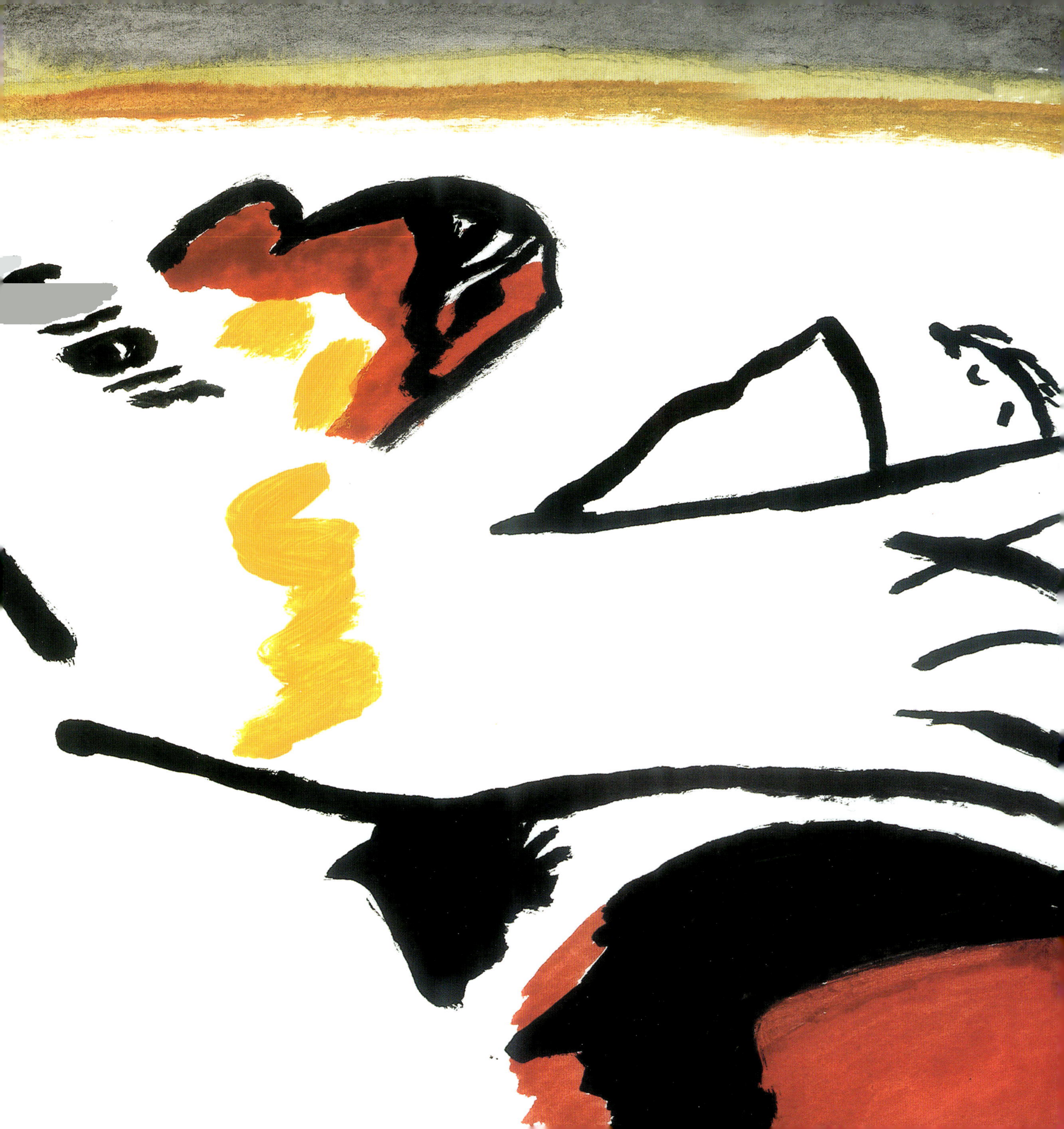

Naquele momento, como Felipe e Mari estavam sentindo uma alegria muito grande, o cavaleiro sofreu uma transformação.

– Nossa! – espantou-se Felipe.

– Ele está se transformando bem na nossa frente! – Mari sorriu encantada.

Verdade! O cavaleiro era a figura lírico-romântica preferida de Kandinsky desde que era criança. Estava presente em todos os contos de fadas de sua infância e, por isso, Kandinsky fez inúmeros cavaleiros ao longo de sua vida.

– Lírico-romântico?

– É, Mari. Lírico é tudo aquilo que é cheio de sentimento, vibração. Serve hoje para dar nome à poesia, porque exprime emoções pessoais. Esse nome vem da lira, um instrumento musical de corda em forma de "U" que acompanhava o canto dos poetas antigos.

– Nossa, que bonito! Gostei. Quero uma lira para mim.

– Você bem que merecia mesmo!

– Como você fez isso? – Felipe perguntou com olhos brilhantes para o cavaleiro a respeito da sua transformação. – Agora você parece alegre, bonito, uma festa!

– É que eu estou acompanhando vossos sentimentos. Como um bom cavaleiro, eu devo zelar pela vossa integridade! Como Kandinsky pintou muitos cavaleiros, eu posso ser qualquer um deles!

Os dois acharam muito diferente esse jeito chique de o cavaleiro falar as coisas. Mas, no fundo, estavam muito aliviados por ele não estar falando em russo, com aquelas letras que pareciam um monte de casinhas e letra "N" ao contrário! Além disso, estavam muito felizes de ter encontrado uma maneira de conhecer as coisas da Rússia e do Kandinsky.

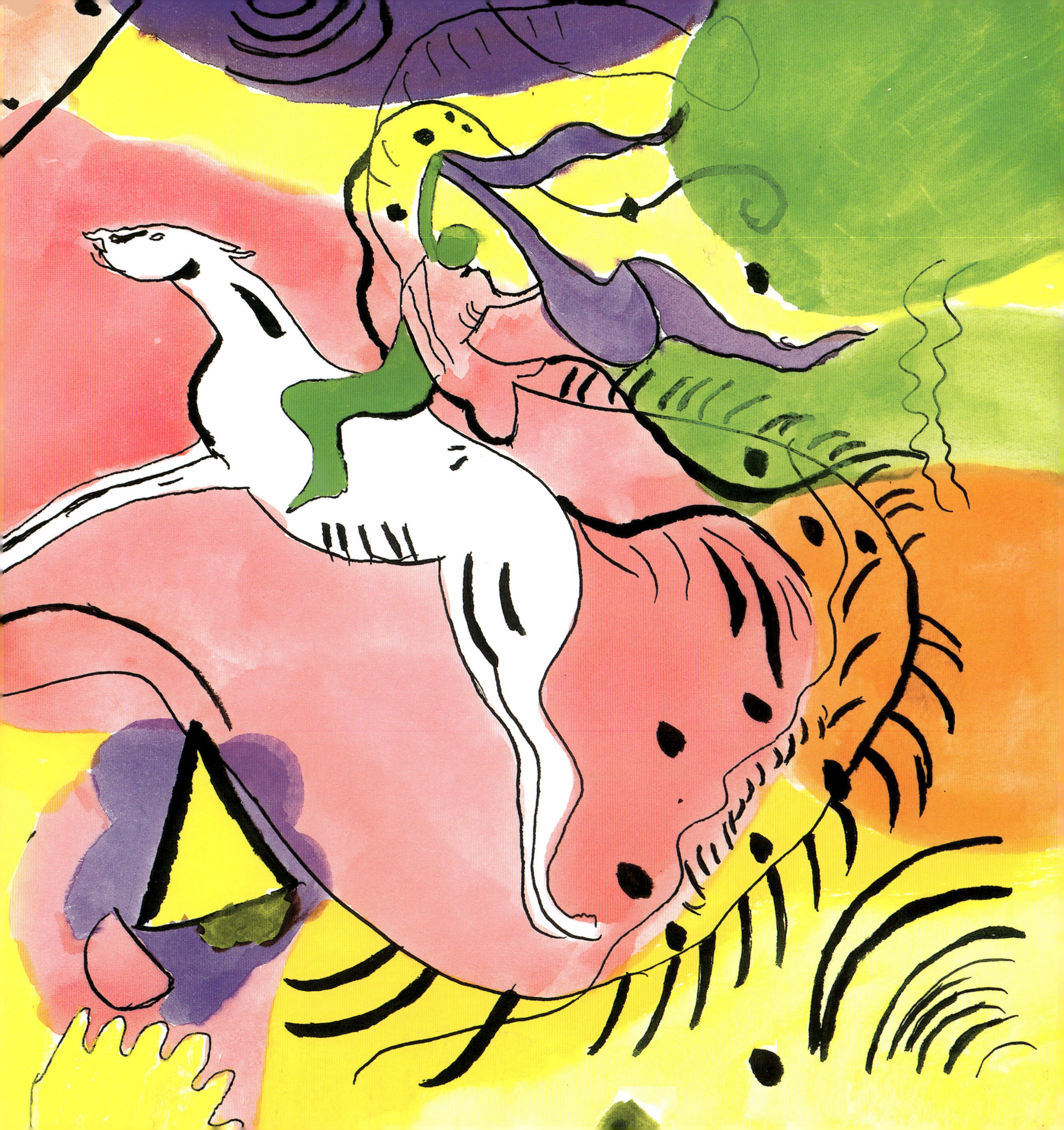

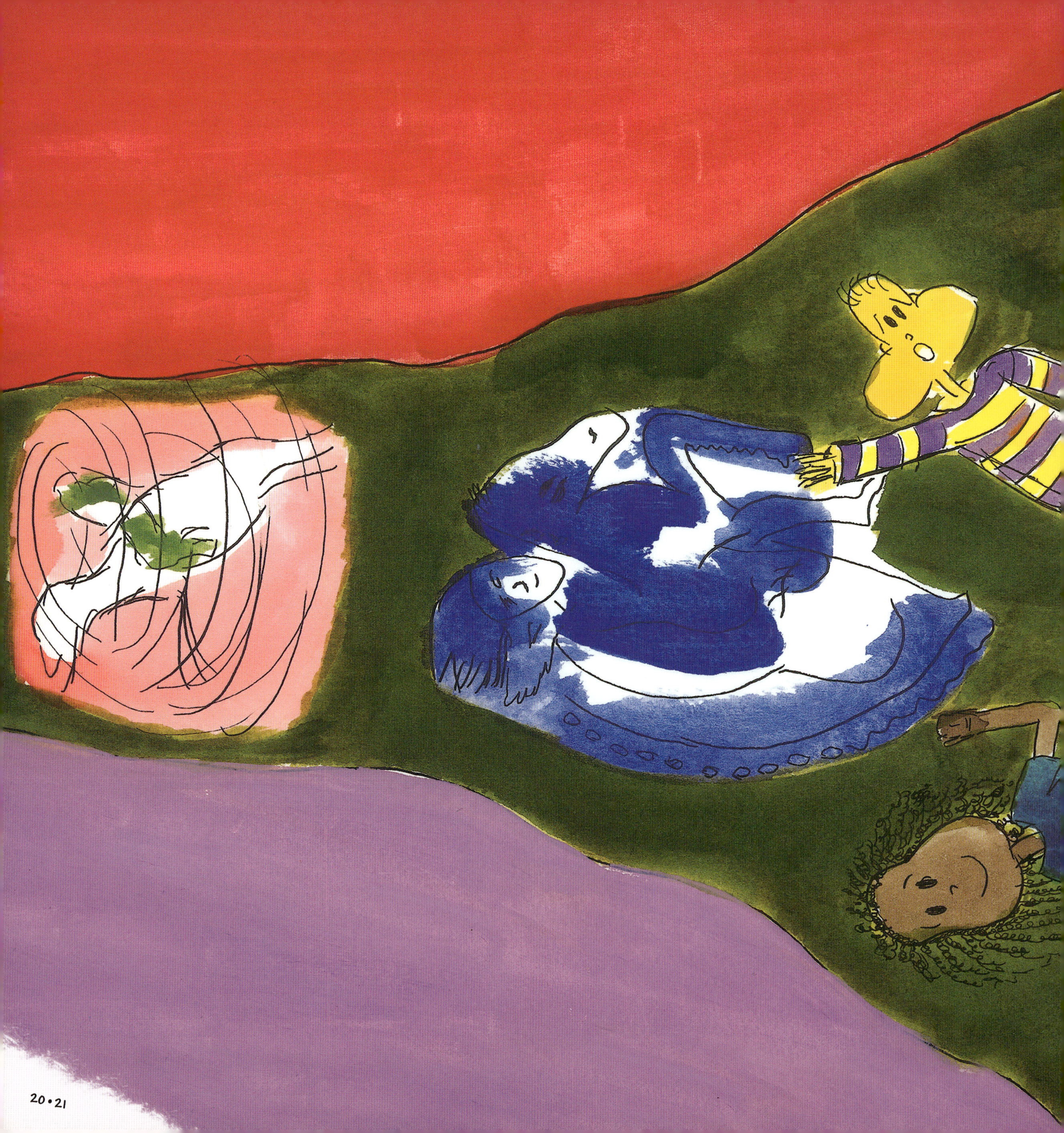

À medida que andava, o cavaleiro ia sofrendo outras mutações. Até que chegou à sua forma definitiva.

– Agora você está ainda mais bonito! – disse Mari Miró diante da última transformação. – Parece mais forte e pronto para enfrentar qualquer batalha!

Era o Cavaleiro Azul.

– Obrigado! Isso é verdade. Eu sou o símbolo de um documento muito importante sobre o movimento expressionista.

– O que é isso? – perguntaram juntos os dois, curiosos.

– *Der Blaue Reiter* é o meu nome, o Cavaleiro Azul, em alemão. Foi na Alemanha que Kandinsky, junto com seu grande amigo Franz Marc, criou um almanaque que propagava a nova maneira de pintar e de fazer arte naqueles tempos. Uma arte que se preocupava unicamente em expressar os sentimentos, tal como eles surgiam... Eram revolucionários das cores e formas.

– Sem se preocupar em ser bonito ou em ser feio? – perguntou Mari.

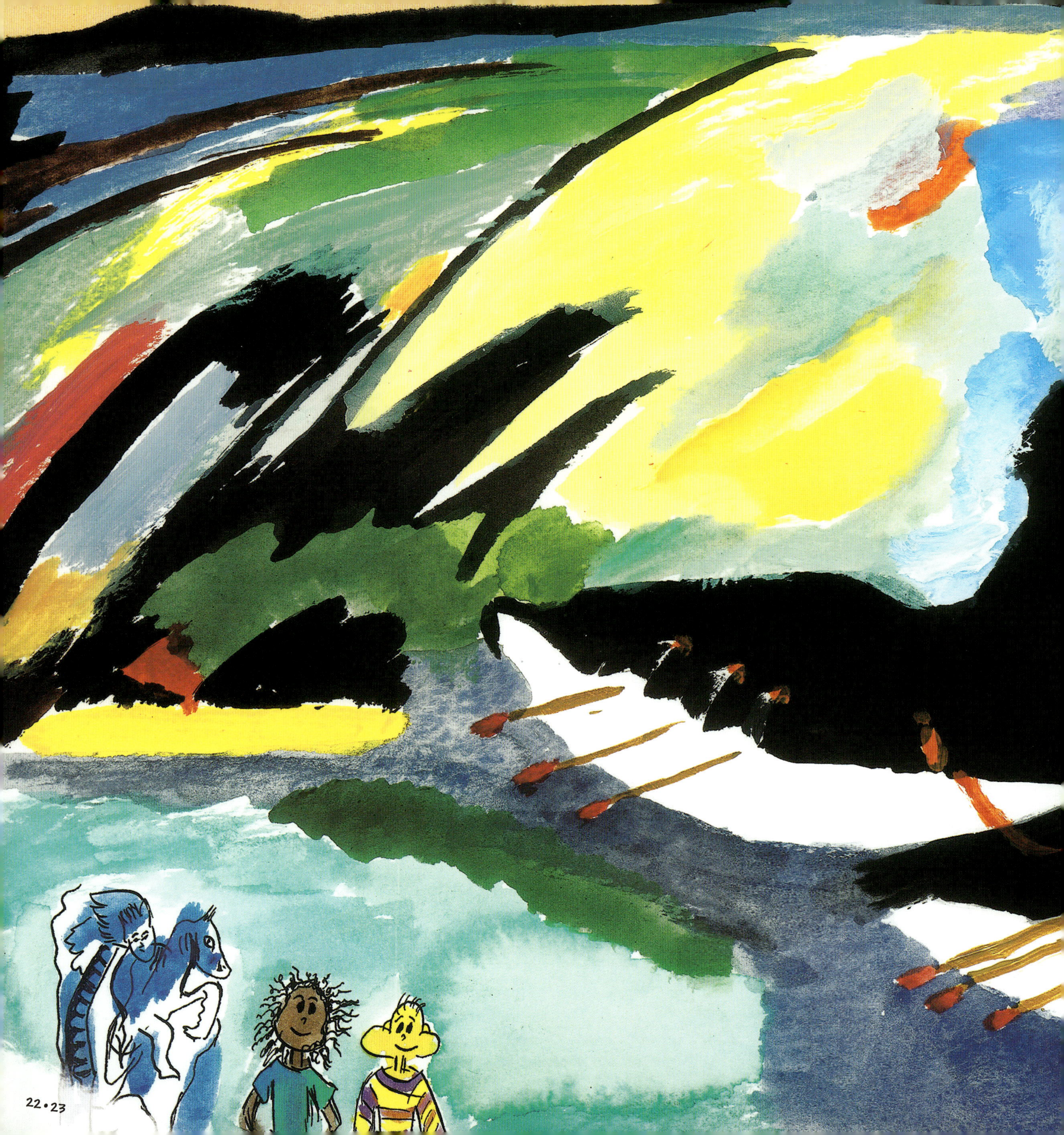

– Exatamente. Respeitando cada indivíduo do mundo – respondeu o Cavaleiro Azul em tom sério e muito sábio.

– Subam neste barco que eu vou demonstrar a vocês.

Mari Miró e Felipe entraram no barco deslumbrados com o céu! Que cores diferentes! "Dá até um pouco de medo" – eles pensaram.

– Você não vem? – disse Felipe apontando para o barco, deixando um espaço para o Cavaleiro Azul.

– Não, eu vou pelo mar. Sou azul por causa disso. O azul, assim como o mar, é a cor que nos leva para dentro de nós ao mesmo tempo em que nos guia ao infinito.

– Que lindo! – Mari sorriu encantada, pois azul era sua cor favorita.

– Fechem os olhos e sintam o barco navegar – ordenou o Cavaleiro. – Agora, imaginem que está chovendo...

Com estas palavras, o Cavaleiro Azul estava guiando Mari e Felipe para dentro deles mesmos e mostrando como funcionava a expressão individual de cada um. Nesse instante, no lado do barco em que Mari estava, surgiu um quadro que representava sua sensação sobre a chuva; ao passo que no canto do Felipe, enxergamos como ele sentia uma grande tempestade.

– Agora, abram os olhos! – sugeriu o Cavaleiro Azul.

E qual não foi a surpresa dos dois quando viram os imensos e maravilhosos quadros que os seus sentimentos tinham pintado!

– Felipe, que linda a sua tempestade! Tem tantas coisas legais dançando nela! – disse Mari.

– Mari, parece que tem sol na sua chuva, dá uma sensação de tranquilidade... – Felipe admirou a obra da amiga.

– Entendi tudo! – Mari exclamou feliz. – Aqui no mundo do Kandinsky, não dá para esconder nada! O que faz a gente entrar nos quadros dele é entrarmos dentro da gente mesmo!

– Isso mesmo, vocês compreenderam a lição – disse o Cavaleiro Azul muito satisfeito, e emendou: – O Expressionismo surgiu em uma época de muito sofrimento da humanidade, especialmente na Alemanha, país onde se expandiu com maior entusiasmo. Vocês já ouviram falar em guerra mundial?

– Nunca – responderam os dois muito curiosos e até assustados em pensar como podia existir uma guerra no mundo todo!

– Pois é, tivemos duas guerras que envolveram muitos países pelo mundo. A primeira delas ocorreu de 1914 a 1918.

– Que coisa mais triste...

Imediatamente, o pensamento da Mari e do Felipe desenhou um quadro muito pesado e confuso, de cores violentas e muita dor.

– Esses artistas estavam muito revoltados com a crueldade do homem e com a matança das pessoas pelo poder – explicou o Cavaleiro.

Depois desse momento triste, Mari e Felipe ficaram um pouco silenciosos.

Mas, alguns minutos depois, a esperança voltou a aparecer. Sentiram o sol começando a surgir de novo. E uma nova música aparecia, um pouco mais agitada e bagunçada.

– Essa música me dá vontade de dançar umas coisas bem malucas – disse Mari, imaginando passos diferentes de dança.

Conforme Mari imaginava os passos de dança, ia criando mentalmente os desenhos das posições, e ela e Felipe iam rapidamente percorrendo as paisagens ensolaradas da alegria que agora apareciam.

28•29

O Cavaleiro Azul observava e orientava as trilhas seguidas enquanto eles dançavam e, assim, chegaram até uma casa muito diferente.

– Nossa! Que lugar mais legal! – Felipe falou, muito espantado. – Aposto que deve ter um monte de quadros legais lá dentro!

– Com certeza, Felipe! Vamos entrar?

Assim, entraram pela porta de uma importante escola, na qual Kandinsky deu aula: a Bauhaus. Lá dentro, agora que já sabiam como lidar com o universo do pintor, ficaram encantados com os sentimentos e as cores que viram, além de conhecerem também projetos de arquitetura: a arte da construção de prédios, casas e outros edifícios.

Os dois ficaram lá dentro, perdendo e encontrando todos os sentimentos, cores e linhas que Kandinsky deixou ao nosso mundo.

Saíram depois de algum tempo transformados em novas crianças,
já pensando na próxima grande viagem que a arte iria proporcionar.

APOIO DIDÁTICO

APRESENTAÇÃO

As páginas a seguir buscam oferecer apoio aos familiares, professores ou interessados que queiram aproveitar a leitura da *Mari Miró e o Cavaleiro Azul* para além das palavras, tornando materiais as imagens e personagens encontrados na narrativa sobre a obra do artista Wassily Kandinsky.

O título faz parte da coleção Arte é Infância, lançada em 2014 pela Editora Ciranda Cultural, vencedora da categoria Didático e Paradidático do 57º Prêmio Jabuti. A coleção conta, até o momento, com as seguintes obras: *Mari Miró* (Joan Miró), *Mari Miró e o Príncipe Negro* (Paul Klee), *Mari Miró e o Cavaleiro Azul* (Wassily Kandinsky), *Mari Miró e o Homem Amarelo* (Anita Malfatti), *Mari Miró e o Menino com Lagartixas* (Lasar Segall), *Mari Miró e o Abaporu* (Tarsila do Amaral) e *Mari Miró e as Cinco Moças de Guaratinguetá* (Di Cavalcanti).

Em *Mari Miró e o Cavaleiro Azul*, Mari acompanha a transformação de uma expressão abstrata em cores, sentimentos, formas e sons. A obra de Kandinsky ensina para nossa menina o espiritual da arte.

APOIO AO PROFESSOR

Este material foi concebido através da vivência e experiência em sala de aula com as diversas faixas etárias e linguagens: arte-educação e incentivo à leitura e escrita.

Objetivos gerais:
- Formar o público infantil para recepção da arte.
- Auxiliar professores no preparo de atividades com as obras dos pintores e as músicas e ritmos, antes ou após a leitura dos livros.
- Aprofundar o estudo da obra dos artistas e a relação entre a criança e a arte.

Objetivos específicos:
- Permitir ao professor abordar aspectos artísticos e históricos através das reproduções das obras incorporadas no livro paradidático.
- Subsidiar a mediação do professor na produção de releituras que possibilitem o fazer artístico do aluno nas mais diversas linguagens: escultura, música, dança, texto (poesia ou prosa), pintura e teatro.

Público-alvo:
- Professores de Português e Artes (Ensino Fundamental I);
- Profissionais que trabalham com oficinas de estudo (com crianças de 06 a 11 anos);
- Professores de Educação Infantil (mediante adaptação das atividades).

Você encontrará uma pequena biografia de Wassily Kandinsky, acompanhada de dados históricos essenciais para a abordagem em sala de aula. No momento específico de sequência didática, no qual há a apresentação das obras, utilizo a metodologia triangular proposta por Ana Mae Barbosa, articulada com outras ideias do fazer artístico de professores e estudiosos da área de arte-educação, além das adaptações necessárias à realidade com a qual se trabalha.

As sugestões de aulas contemplam três momentos: a apreciação, a contextualização e o fazer artístico. Na última etapa, há mais de uma opção de trabalho, portanto o professor deverá selecionar aquela que melhor se aplicar à turma e faixa etária com a qual trabalha ou aproveitar a mesma imagem por uma sequência de encontros.

a) Apreciação: O educador incita a percepção dos alunos com perguntas abertas, mediando o olhar sem que o direcione, a menos que seja sua intenção. Por exemplo, em uma obra abstrata, como alguns quadros de Kandinsky, pergunte pelas cores, pelas formas; se não houver respostas satisfatórias, busque alternativas como: as formas são orgânicas? as cores são frias? Este momento é importantíssimo para a reflexão e o envolvimento, tanto coletivo quanto individual. É interessante que o professor consiga equilibrar a participação de todos, para que se sintam convidados a expressarem suas sensações. Dependendo da turma, este momento pode demorar a acontecer, de fato; muitas vezes, os alunos não estão preparados para esta (auto)análise, tampouco a disciplina da sala permite um momento de silêncio e reflexão, porém com a insistência e paciência do professor o hábito começa a surgir e, depois de alguns encontros, eles aprendem que não há como olhar alguma imagem, ouvir alguma música, movimentar-se de alguma maneira que não cause nenhuma sensação.

Este é o momento de ouvir, mais do que falar. O professor deve conduzir os comentários, que serão livres, ao propósito de sua aula, e somente depois de a turma esgotar as possibilidades, deverá prosseguir com a contextualização. Alguns educadores preferem dar o nome da obra/pintor ou música/grupo antes da apreciação. É recomendável que não o façam no caso de obras abstratas para que haja liberdade de expressão por parte dos apreciadores. No caso de um exercício que tenha como objetivo uma narração, por exemplo, já seria bastante interessante fornecê-lo. Portanto, nada como saber o que deseja e colocar em prática para pesquisar os resultados.

b) Contextualização: Este é o momento da aquisição do conteúdo. É muito importante que seja realizado de maneira instigante, aproveitando tudo o que fora discutido durante a apreciação, para que o aluno consiga relacionar suas sensações ao conteúdo e sinta vontade de realizar a atividade proposta pelo educador. É interessante que, simultaneamente, conduza uma reflexão/discussão sobre a obra.

c) Fazer artístico: As sugestões elencadas neste material contemplam as mais variadas linguagens artísticas, de literatura a teatro. Qualquer atividade proposta deve ser bem instruída pelo professor, que fornecerá o material a ser utilizado, bem como exemplos de execução. A partir de então, ficará atento para verificar o andamento da elaboração (individual ou em grupo), incentivando e auxiliando os alunos de maneira atenciosa.

Contação de história

Para contar uma história é preciso conhecê-la previamente e encontrar nela elementos narrativos centrais. O professor pode utilizar diferentes elementos para atrair a atenção das crianças (alfabetizadas ou não). Desde o famoso baú ou mala que contenha elementos lúdicos para envolver os alunos (como pedaços de tecido, plumas, brilhos, formas geométricas, chapéus, acessórios, borrifadores, trilha sonora, instrumentos musicais etc.) até os recursos de mudança de voz, caretas, maquiagem e roupas diferenciadas.

Nas histórias da coleção Arte é Infância, o mundo da fantasia é o eixo principal. Utilizando as imagens das obras de pintores, alguns elementos tácteis e sonoros, fica fácil trazer esta atmosfera para a sala de aula. Cada educador escolhe as linguagens com as quais está familiarizado para reproduzir a história. A seguir, uma sugestão de materiais e procedimentos para o livro *Mari Miró e o Cavaleiro Azul*.

- Barquinho de papel;
- Tintas plásticas com bico para espirrar;
- Instrumentos musicais (sininhos, pianola, flauta doce).

Com estes elementos centrais fabricados, vá aos poucos narrando a história enquanto mostra os objetos para as crianças, depois, aproveite os materiais utilizados para realizar dinâmicas com os personagens e para inclusive direcionar as atividades que seão apresentadas mais adiante.

LEITURA COMPARTILHADA

Essa atividade tem como principal função ensinar o prazer da leitura ao aluno. É o momento no qual o professor lê um texto ou um livro dividido em capítulos, ensinando à criança que a leitura se dá com atenção, dedicação e paciência. É preciso saborear as histórias, poemas. É preciso concentração.

O grande desafio desta geração guiada pelos eletrônicos é concentrar-se em atividades nas quais o movimento se dá interiormente. É preciso ensinar a contemplação. Tarefa difícil, mas não impossível. A maneira de realizá-la é mostrar que o livro contém histórias. E não há ninguém no mundo (velho ou novo) que não goste e não se interesse por histórias. Afinal, todos nós escrevemos e vivemos a nossa própria história e sonhamos com o futuro breve ou distante, fabulando, desta maneira, constantemente.

O professor desempenha um papel de modelo para o aluno, principalmente nos primeiros anos de educação formal, por isso é interessante mostrar que o hábito da leitura faz parte de sua vida e abre as portas de um mundo grande e rico.

DESENVOLVIMENTO DA ATIVIDADE COM CRIANÇAS NÃO ALFABETIZADAS

1ª etapa

Diga às crianças que o livro contará uma história que aconteceu com uma menina muito esperta, quando ela tinha 7 anos de idade. Explique que ela estava na sua aula de artes e gostava muito de descobrir as histórias por detrás de um quadro.

Mostre a imagem da obra *A voz desconhecida* de Wassily Kandinsky e compartilhe as impressões dos alunos sobre a obra. Comente sobre as cores e as formas.

Só depois de perceber o interesse da turma, pergunte se a turma quer conhecer a história desta personagem chamada Mari.

2ª etapa

É importante criar um ambiente agradável para que as crianças não se sintam cansadas ou desinteressadas. Para isso, disponha os alunos em círculo ou semicírculo no qual você ocupe uma posição visível para todos. Leia sempre com a ilustração virada para eles, para que todos vejam as imagens ou, não sendo possível esta organização, tenha como pano de fundo as imagens do livro *Mari Miró e o Cavaleiro Azul* e das obras de Wassily Kandinsky em uma grande tela.

3ª etapa

Comece pela capa e pelo título. Deixe as crianças emitirem impressões espontaneamente e observarem a capa. Pergunte se alguém se lembra do quadro que a personagem gostou e force as relações com o título.

4ª etapa

Avise que você fará uma primeira leitura do livro, e que durante a leitura todas as crianças devem prestar atenção. Se tiverem alguma pergunta ou impressão sobre a história, os alunos podem manifestar. Mas, se quiserem contar alguma coisa parecida, só poderão fazê-lo depois do final do livro.

5ª etapa

Após a leitura, abra um espaço de troca. Ele pode começar por alguma criança de maneira espontânea ou por você, que se apresenta como leitora. Comente sobre as imagens e faça uma breve síntese da história para resgatar a atenção de todos e para explicar o que a narração pretendeu. Esta atitude irá contribuir para a produção de sentido e complementará o significado esboçado pelo texto.

Outra intervenção interessante pode ser a releitura de alguns momentos descritos no texto, através da pergunta aos alunos: Qual o momento que você mais gostou?

Diante das respostas e releituras, você irá encontrar direções de interpretações divergentes ou criar as relações entre texto e imagem que as crianças poderiam fazer.

É interessante deixar a imaginação livre para que as crianças brinquem com a obra de arte de Wassily Kandinsky.

6ª etapa

Estimule a turma perguntando como imaginam outras ilustrações que poderiam existir no livro. Faça os alunos produzirem mais quadros de Kandinsky.

7ª etapa

Apresente mais obras do pintor e o plano de aula sugerido neste material.

DESENVOLVIMENTO DA ATIVIDADE COM CRIANÇAS ALFABETIZADAS

Elas podem possuir o livro ou não. Repita as etapas de 1 a 3 conforme descrito anteriormente.

4ª etapa

Leia o texto com clareza em voz alta. Pare sempre que terminar um parágrafo para acompanhar o interesse da turma e resgatar as opiniões.

Ou ainda, peça para que os alunos abram o livro na primeira página de texto e leia em voz alta, enquanto os alunos acompanham a leitura. A partir do momento escolhido por você, peça para que as duplas leiam em voz baixa, observando as ilustrações.

5ª etapa

Após a leitura, abra um espaço de troca. Pergunte se os alunos gostaram da história e quais os momentos mais interessantes.

Diante das respostas, você irá encontrar direções para saber qual a melhor forma de trabalhar com a sugestão de aulas deste material.

É interessante deixar esta conversa fluir, ouvir todas as impressões das crianças, a imaginação é necessária para compreender a obra de arte de Wassily Kandinsky.

6ª etapa

Apresente mais obras do pintor e o plano de aula sugerido neste material.

FLEXIBILIZAÇÃO PARA ALUNOS COM DEFICIÊNCIA VISUAL

1. Grave o livro em áudio e dê para o aluno levar para ouvir em casa. Ele deve se aproximar do texto antes da turma.

2. Durante a leitura em sala de aula, descreva oralmente as imagens e estimule a turma a fazer o mesmo.

3. Estimule o aluno a sugerir imagens e faça-o participar ativamente da atividade.

FLEXIBILIZAÇÃO PARA ALUNOS COM DEFICIÊNCIA AUDITIVA

1. Utilize um vídeo previamente gravado com a língua brasileira de sinais do livro *Mari Miró e o Cavaleiro Azul*. A cada página lida em sala, passar o vídeo para que os alunos com deficiência auditiva possam acompanhar.

2. Durante a leitura em sala de aula, apresente as ilustrações para eles.

3. Estimule os alunos a participarem ativamente da leitura compartilhada.

Mari Miró e o Cavaleiro Azul

Mari Miró vive uma aventura no movimento expressionista da pintura, mais especificamente na obra de Wassily Kandinsky, a qual contempla também o universo abstrato em uma esfera espiritual das cores e formas.

WASSILY KANDINSKY (1866-1944)

O grande cavaleiro da nossa história é Wassily Kandinsky. Pintor, ativista e revolucionário do mundo artístico, trouxe uma nova linguagem pictórica com suas ideias e realizações.

É o grande fundador da pintura abstrata, oferecendo-a como meio de expressão da realidade visível e invisível. Com base na música, o pintor procurava a disciplina interna obedecida pelas cores e formas, assim como a harmonia recorrente no mundo sonoro.

Nasceu em Moscou, mas passou a maior parte de sua vida na Alemanha e em Paris.

O sol dissolve toda a cidade de Moscovo numa mancha única, que faz vibrar a alma e todo o ser, como uma tuba louca. Casas, igrejas de cor rosa, malva, amarela, branca, verde-pistácio, vermelho-fogo, o verde-garrido da relva, o trêmulo mais profundo das árvores, a neve cantante com as suas mil vozes, o alegretto dos ramos nus, o anel vermelho, rígido, silencioso dos muros de Kremlin e, enfim, sobrepondo-se a tudo, como um grito de triunfo, como uma aleluia, a linha longa, branca, graciosa e grave do campanário de Ivan Weliky. Pintar este instante, pensava eu, deve ser a alegria mais inatingível e mais sublime que um pintor jamais poderá conhecer.

Kandinsky

Estudou economia política e folclore. Aos 26 anos, mesmo com seu diploma em Direito, deu continuidade aos estudos da arte. Com 30 anos, partiu para Munique, onde estudou desenho e pintura e ficou conhecido pela utilização de muitas cores em seus trabalhos.

Kandinsky nunca foi apenas um simples aluno ou pintor; possuía outros talentos como teorizar, organizar e pesquisar. Boa parte destes primeiros trabalhos retoma os temas do folclore e de lendas russas.

Em geral, a cor é por isso um meio que permite exercer uma influência direta sobre a alma. A cor é o teclado. O olho é o martelo. A alma é o piano com suas numerosas cordas. O artista é a mão que faz vibrar a alma humana através desta ou daquela tecla.

Kandinsky

Por meio de *O Cavaleiro Azul*, Kandinsky sintetizou todas as artes, todas as forças espirituais, na luta contra o pensamento materialista. A figura do cavaleiro aparece em inúmeras obras do pintor e representa a procura e o encontro. Este será o título do importante Almanaque do Movimento Expressionista, uma compilação essencial de textos programáticos escritos por artistas sobre a expressão do século XX.

Publicou também o fabuloso *Do espiritual na arte*, teoria de linguagem bastante metafórica sobre as cores e composições na Arte Moderna, que defendia essencialmente a produção de obras que resultassem de uma necessidade interior.

O meu livro Do Espiritual na Arte *e também* O Cavaleiro Azul *tinham essencialmente como objetivo acordar esta faculdade de experiência espiritual nas coisas materiais e abstratas, faculdade indispensável no futuro e que permitia experiências infinitas. O desejo de suscitar esta feliz capacidade nas pessoas que ainda não tinham foi o principal objetivo destas duas publicações.*

Kandinsky

Havia uma disposição dos artistas deste grupo para realizar pesquisa em mais de uma linguagem artística, como no caso de Kandinsky com a música. A correspondência com Arnold Schönberg, músico e também pintor, criador da música atonal, foi bastante profícua neste sentido, já que Kandinsky procurava na pintura o que o músico já havia atingido: uma nova harmonia.

A música de Schönberg faz-nos entrar num novo domínio onde as experiências musicais já não são puramente acústicas, mas sim puramente anímicas. É aí que começa a música do futuro.

Kandinsky

Foi ainda professor da Bauhaus, junto a Klee, Gropius e outros. Klee e Kandinsky, a certa altura, possuem invenções pictóricas bastante próximas, equilibrando-se entre abstração e associações figurativas. Os dois artistas publicaram suas teorias na série de livros da Bauhaus, Klee em *Caderno de esboços pedagógicos* e Kandinsky em *Ponto, linha, plano*.

Wassily Kandinsky morreu em 1944, vítima de doença cerebrovascular.

OBRAS

1. *A voz desconhecida,* 1916
   Aquarela e tinta sobre o papel
   23,7 cm x 15,8 cm
   Paris, Musée National d'Art Moderne, Centre Georges Pompidou

2. *A cantora,* 1903
   Xilogravura policromática, três pranchas, segundo estado
   19,5 cm x 14,5 cm
   Munique, Städische Galerie im Lenbachhaus

3. *Inverno I,* 1909
   Óleo sobre cartão
   75,5 cm x 97,5 cm
   São Petersburgo, Hermitage

4. *Lírica,* 1911
   Xilogravura policromática,
   4 pranchas
   14,9 cm x 21,8 cm
   Munique, Städische Galerie im
   Lenbachhaus

5. *Projeto para capa do Almanaque do Cavaleiro Azul,* 1911
   Tinta, aquarela e branco opaco sobre lápis
   27,7 cm x 21,9 cm
   Munique, Städische Galerie im
   Lenbachhaus

6. *Projeto definitivo para a capa do Almanaque do Cavaleiro Azul,* 1911
   Tinta e aquarela sobre decalque e lápis
   27,9 cm x 21,9 cm
   Munique, Städische Galerie im
   Lenbachhaus

7. *Viagem de barco,* 1910
   Óleo sobre tela
   98 cm x 105 cm
   Moscou, Galeria Nacional
   Tretyakov

8. *Paisagem com chuva,* 1913
   Óleo sobre tela
   70,2 cm x 78,1 cm
   Nova Iorque, The Solomon R.
   Guggenheim Museum

9. *Improvisação dilúvio,* 1913
   Óleo sobre tela
   95 cm x 150 cm
   Munique, Städische Galerie im
   Lenbachhaus

10. *Pintura sobre vidro com sol (pequenas alegrias),* 1910
    Pintura sobre vidro
    30,6 cm x 40,3 cm
    Munique, Städische Galerie im Lenbachhaus

11. *Impressão III (concerto),* 1911
    Óleo sobre tela
    77,5 cm x 100 cm
    Munique, Städische Galerie im
    Lenbachhaus

12. *Maqueta de mural para a exposição sem júri: parede B,* 192
    Guache e giz branco sobre papel preto, montado em cartão
    34,7 cm x 60 cm
    Paris, Musée National d'Art Moderne, Centre Georges Pompidou

13. *Triângulo negro,* 1925
    Óleo sobre cartão
    79 cm x 53,5 cm
    Roterdã, Coleção do Museum Boymans-van-Beuningen

SEQUÊNCIA DIDÁTICA

I. A VOZ DESCONHECIDA

a) **Apreciação**

b) **Contextualização, reflexão e discussão sobre a obra**

"Fiquei muito impressionado com a tua voz." Isso foi dito por Kandinsky depois do primeiro encontro (telefônico) com Nina, sua futura mulher. Ele pintou esta aquarela dedicada à voz da jovem. Este agrupamento de linhas negras em redor do motivo central é característico do período (1916).

Questione os alunos: O som tem forma? É possível associar linhas a sons?

c) Fazer artístico

- **Relacionando ideias**

Leve duas músicas diferentes para os alunos ouvirem, sendo uma delas mais harmônica, arredondada, e outra mais quebrada, como por exemplo: Debussy e Stravinsky, respectivamente. Peça para que os alunos realizem desenhos abstratos inspirados nos sons que estão ouvindo.

- **Produzindo imagens**

Peça para os alunos fazerem uma releitura da obra com guache e canetinha preta.

- **Produzindo textos**

Os alunos deverão narrar como se deu a transformação do som da voz de uma mulher em formas: Quais sentimentos podem ser percebidos nestas formas?

2. A CANTORA

a) Apreciação

b) Contextualização, reflexão e discussão sobre a obra

Esta obra é uma xilogravura que combina as linhas fluidas do *Jugendstil* com um colorido sóbrio, porém imaginativo, onírico.

Reflita com os alunos sobre as cores sóbrias, os tons pastel, e o equilíbrio de formas presente na obra.

c) Fazer artístico

- **Relacionando ideias**

Por meio do vestido e do corte de cabelo da cantora, aborde assuntos relacionados à moda e ao vestuário do período (início do século XX). Proponha um projeto de pesquisa, dividindo a sala em grupos, para que pesquisem sobre o papel da mulher neste período histórico, seu valor como artista e os costumes sociais da época.

- **Produzindo imagens**

Com canetinha preta e aquarela para colorir, proponha uma releitura da obra.

- **Produzindo textos**

Os alunos deverão compor a letra da música cantada por esta artista retratada no quadro.

3. INVERNO I

a) Apreciação

b) Contextualização, reflexão e discussão sobre a obra

> *Rosa, violeta-claro, azul profundo e verde são as cores irreais deste quadro invernoso pintado em Murnau. Embora a composição seja tradicional, as cores banham a paisagem numa atmosfera misteriosa e onírica.*
>
> Ulrike Bechs-Malorny

Com esta obra, é possível refletir sobre a aplicação das cores e o despertar de sentimentos.

c) Fazer artístico

- **Relacionando ideias**

Apresente aos alunos trechos do filme *Herói*[1], dirigido por Zhang Yimou (2002), nos quais a fotografia se dá em cenários monocromáticos: branco, azul e vermelho. Desta maneira, conduza a discussão e a percepção dos alunos para este inverno tão expressivo de Kandinsky.

- **Produzindo imagens**

Os alunos deverão fazer uma releitura dessa obra com tinta acrílica e papel canson.

- **Produzindo textos**

Peça aos alunos para produzirem um texto com o tema: a neve do inverno é multicolorida, capaz de tingir qualquer coisa sobre a qual caia de maneira irreversível.

4. LÍRICA

a) Apreciação

b) Contextualização, reflexão e discussão sobre a obra

Em poucos traços, que fazem lembrar a caligrafia chinesa, um cavaleiro a galope é representado em posição de jóquei. A aura branca que forma o fundo do quadro cria uma atmosfera transcendente e espiritualizada no seio da qual o cavaleiro deve ser interpretado como o conquistador da matéria e do não espiritual.

Ulrike Bechs-Malorny

Discuta com os alunos sobre a figura do cavaleiro: sua representação e simbologia.

c) Fazer artístico

- **Relacionando ideias**

Os alunos deverão realizar um desenho simples e transformá-lo em 3-D por meio de um apoio (como nos porta-retratos). Isso poderá ser feito a partir de um apoio triangular, que deverá ter um de seus lados colados atrás do desenho, deixando desta maneira uma base para que ele fique em pé. Este apoio pode ser feito com papel *Kraft* ou qualquer outro com uma densidade maior do que 75g. Deixe que os alunos façam histórias para os cavaleiros criados por eles, que poderão ter qualquer tipo de poder fantástico.

- **Produzindo imagens**

Propor uma releitura da obra com a técnica de xilogravura, que pode ser produzida com prancha de isopor prensado e agulha de crochê.

- **Produzindo textos**

Os alunos deverão escrever uma notícia de jornal, na qual um cavaleiro da Idade Média aparece em meio ao trânsito de uma grande cidade: Como as pessoas reagiriam? E ele, o que sentiria visualizando faróis, carros?

5. PROJETO PARA CAPA DO ALMANAQUE DO CAVALEIRO AZUL

a) Apreciação

b) Contextualização, reflexão e discussão sobre a obra

Um dos muitos estudos de Kandinsky para a capa do *Almanaque do Cavaleiro Azul*.

Fale para os alunos sobre o almanaque, ressaltando o que foi e para que serviu.

c) Fazer artístico

- **Relacionando ideias**

Os alunos deverão criar um almanaque com o tema "cavaleiro", incluindo todos da turma. Nele, deve conter um texto ou desenho de cada um com o tema

---

1. HERÓI. Diretor: Zhang Yimou. [S.I.]: Buena Vista Sonopress, 2002. 1 DVD (99 min), NTSC, color. Título original: Hero.

já trabalhado. Você poderá atribuir um ou mais responsáveis (editores), além de escolher também dois alunos para a confecção da parte visual. No caso de alunos mais velhos, poderão se encarregar de digitar o trabalho no computador, escanear as imagens e, depois de pronto, imprimir na escola.

- **Produzindo imagens**

Proponha uma releitura da obra com lápis de cor, nanquim com pincel fino e giz pastel seco.

- **Produzindo textos**

Os alunos deverão criar uma narração com o tema "O cavaleiro do carnaval".

6. PROJETO DEFINITIVO PARA A CAPA DO ALMANAQUE DO CAVALEIRO AZUL

a) **Apreciação**

b) **Contextualização, reflexão e discussão sobre a obra**

> *Para contextualizar a obra, é importante refletir sobre a seguinte afirmação: Quanto ao nome Der Blaue Reiter, inventamo-lo sentados à mesa de um café no jardim de Sindelsdorf; ambos gostávamos do azul, Marc gostava de cavalos e eu de cavaleiros. O nome surgiu assim naturalmente.*
>
> Kandinsky

Reflita com os alunos e traga informações sobre o grupo *Der Blaue Reiter*, seus participantes e o contexto do Expressionismo.

c) **Fazer artístico**

- **Relacionando ideias**

Leve aos alunos o poema de Georg Trakl, *O sol*[2], de 1914. Os alunos deverão realizar a leitura do poema e propor uma ilustração do ambiente tão sensivelmente descrito pelo poeta, o qual trabalha com as cores como se fosse pintor.

- **Produzindo imagens**

Proponha uma releitura da obra com nanquim preto e azul, pincéis finos e médios.

- **Produzindo textos**

Os alunos deverão produzir uma série de quadrinhos (pelo menos quatro, um por estrofe) para o mesmo poema de Trakl e atribuir duas ou mais palavras para cada um, realizando desta maneira uma espécie de *storyboard* para o texto.

7. VIAGEM DE BARCO

a) **Apreciação**

b) **Contextualização, reflexão e discussão sobre a obra**

> *Kandinsky utiliza o branco e o preto para sublinhar o caráter dramático deste quadro, que se conta entre as improvisações líricas. Objetos e características da paisagem funcionam agora cada vez mais como meros símbolos e veículos de cor, ao mesmo tempo em que as referências à realidade se tornam puros elementos de tensão.*
>
> Ulrike Bechs-Malorny

Com esta obra, é possível refletir sobre a representação dos sonhos (simbologia), das imagens e dos sentimentos.

c) **Fazer artístico**

- **Relacionando ideias**

Separe algum vocábulo bastante rico em um dicionário de símbolos para demonstrar a variedade de significados atribuída a ele. Por exemplo: rio, peixe, a cor preta. Separar os alunos em grupos e entregar

---

2. Você pode encontrar este poema em: BARRENTO, João (trad.). *Expressionismo alemão. Antologia Poética*. Lisboa: Ática, 1976.

um significado do mesmo tema para cada grupo. Pedir para que realizem alguma criação que demonstre este significado.

- **Produzindo imagens**

Peça aos alunos para que criem um desenho de memória de alguma viagem que realizou ou gostaria de realizar. Deverá conter obrigatoriamente objetos simbólicos, que não precisam ser decifráveis.

- **Produzindo textos**

Os alunos deverão escrever palavras soltas que simbolizem a viagem desenhada na proposta anterior.

8. PAISAGEM COM CHUVA

a) **Apreciação**

b) **Contextualização, reflexão e discussão sobre a obra**

A relação com a chuva foi explorada por Kandinsky em várias obras. O ponto principal talvez tenha sido um quadro que hoje está perdido chamado *Dilúvio*. Esta obra comportava grande número de elementos narrativos, como animais, figuras nuas, um arco, palmeiras, relâmpagos e chuva. Durante muito tempo, Kandinsky diz não conseguir agarrar o "som interior" da palavra "dilúvio". Portanto, quando olhamos para a obra e imaginamos que seja feita ao acaso, não podemos esquecer diversas descrições do pintor que buscou equilíbrios minuciosos das massas e cores.
Reflita com os alunos sobre sentimentos aflorados internamente por meio de motivações externas.

c) **Fazer artístico**

- **Relacionando ideias**

Os alunos deverão criar uma pequena animação por meio da técnica "cineminha". Ela consiste em desenhar uma paisagem, tirar cópias do desenho (pelo menos 20) e, então, agrupá-las no formato de livro e criar a mudança que será produzida com a chegada da chuva. Ao folhear, a imagem entrará em movimento.

- **Produzindo imagens**

Proponha uma releitura desta obra com tinta guache e pincéis.

- **Produzindo textos**

Os alunos deverão criar um texto com o tema: a chuva despertando boas lembranças.

9. IMPROVISAÇÃO DILÚVIO

a) **Apreciação**

b) **Contextualização, reflexão e discussão sobre a obra**

Ver a explicação do quadro anterior.
Reflita com os alunos sobre sentimentos aflorados internamente por meio de motivações externas.

c) **Fazer artístico**

- **Relacionando ideias**

Faça quatro reproduções grandes desta obra. Divida os alunos em grupos e convide-os a criar um quebra-cabeça, recortando a reprodução da obra de maneira irregular.

- **Produzindo imagens**

Crie um mural, inspirado na obra de Kandinsky, no qual a sala possa trabalhar em conjunto.

- **Produzindo textos**

Os alunos deverão produzir um texto com o tema: a chuva despertando medo e sentimentos obscuros.

10. PINTURA SOBRE VIDRO COM SOL (PEQUENAS ALEGRIAS)

a) **Apreciação**

b) **Contextualização, reflexão e discussão sobre a obra**

> Nesta série de quadros (pintura sobre vidro), Kandinsky trabalha também a moldura. Os enquadramentos em madeira estão pintados com manchas de cor e linhas ondulantes, o que reforça o caráter naïf destas obras. O vidro também desempenha papel de cor e verniz final da pintura.
>
> Ulrike Bechs-Malorny

Direcionar a reflexão para a pintura em vitral. Por que colorir os vidros? Que sensações são mudadas quando a luz entra por um vidro colorido?

c) **Fazer artístico**

- **Relacionando ideias**

Faça um exercício de expressão corporal com os alunos que simbolize pequenas alegrias. Eles deverão criar movimentos explorando os sentimentos.

- **Produzindo imagens**

Proponha aos alunos a criação de um vitral com inspiração na obra de Kandinsky.

- **Produzindo textos**

Os alunos deverão criar um texto com o tema: pequenas alegrias da vida.

11. IMPRESSÃO III (CONCERTO)

a) **Apreciação**

b) **Contextualização, reflexão e discussão sobre a obra**

> Este quadro foi pintado pouco depois do primeiro concerto que Schönberg deu em Munique, em janeiro de 1911, concerto que esteve igualmente na origem da correspondência entre os dois artistas. As cores dominantes são o amarelo e o negro, lembrando a mancha negra a forma de um piano, o instrumento mais importante no concerto de Schönberg. Este quadro é a demonstração da capacidade de percepção sinestésica de Kandinsky: é no som das cores, que pode e deve ser totalmente dissonante ("a dissonância pictórica de hoje não é mais nada senão a consonância de amanhã"), que ele vê a expressão mais intensa. A propósito da cor amarela, Kandinsky escreve: "O amarelo... inquieta o homem, pica-o, irrita-o e mostra o caráter da força expressa na cor, força que atua finalmente sobre a alma de uma forma insolente e importuna. Esta qualidade do amarelo, que tem uma tendência importante para os tons mais claros, pode ser levada até uma força e altura insuportável para a vista da alma. No momento dessa intensificação, ele soa como uma trompeta aguda lançando um som cada vez mais forte, ou ainda como um som de fanfarra subindo para as alturas". Como um eterno silêncio sem futuro nem esperança, soa o negro interiormente... É a cor menos sonora exteriormente, sobre a qual as outras cores... ressoam por isso... como uma força e precisão acrescidas.
>
> Ulrike Bechs-Malorny

Com esta obra, é possível apresentar aos alunos a teoria do espiritual das cores. Uma maneira bastante interessante de fazer isto é pedir para que os alunos reflitam sobre os sentimentos que as cores são capazes de despertar, como por exemplo: branco e amarelo, alegria; azul e lilás, paz. Depois seria importante comparar os resultados e salientar as diferenças entre as percepções. Um aluno acha que vermelho é a cor que transmite amor, outro pensa que seria o rosa, etc. Nesse momento, todos estarão prontos para receber as ideias de Kandinsky expostas em seu livro *Do Espiritual na Arte*, cuja indicação está nesta bibliografia.

c) Fazer artístico

• Relacionando ideias

Apresente as imagens criadas por Kandinsky para as fotografias da dançarina Gret Palucca (1902-1993). Em seguida, mostre a coreografia realizada por Pina Bausch para *A sagração da primavera*, de Igor Stravinsky, remontada no filme *Pina*[3], de Wim Wenders. A ideia é debater com os alunos o trânsito entre as linguagens artísticas e suas peculiaridades.

• Produzindo imagens

Os alunos deverão transformar uma música instrumental em imagem. Escolha alguma música que possua um título sugestivo. Não é necessário que seja do repertório erudito. Músicas instrumentais populares, como choro ou jazz são muito interessantes.

• Produzindo textos

Para esta atividade, os alunos deverão transformar uma música instrumental em texto. Siga as mesmas instruções da atividade anterior.

12. MAQUETA DE MURAL PARA A EXPOSIÇÃO SEM JÚRI: PAREDE B

a) Apreciação

b) Contextualização, reflexão e discussão sobre a obra

> *Kandinsky pôde realizar seu sonho de reunir a pintura e a arquitetura numa mesma obra de arte total nas suas maquetes de painéis (…) Os quadros que cobrem todo um espaço desencadeiam por si só os sentimentos que ele sentira ao entrar nas casas dos camponeses da região de Vologda durante os seus estudos:*

> *"Nessas estranhas casas, senti pela primeira vez aquele milagre que passará posteriormente a ser um elemento das minhas obras. Aprendi a não contemplar um quadro do exterior, mas sim a deslocar-me para o interior do quadro, a viver dento do quadro".*
> Ulrike Bechs-Malorny

Fale sobre a Bauhaus para os alunos.

c) Fazer artístico

• Relacionando ideias

Realize uma releitura de imagem com os alunos. Cada um fará a fachada de uma casa. No fim da aula, por meio de pequenos apoios, tal como realizado no exercício de *Lírica*, disponha os trabalhos e monte uma cidade.

• Produzindo imagens

Proponha uma releitura da obra utilizando a técnica de giz de cera e nanquim. Os alunos deverão pintar uma folha em branco com giz de cera colorido. É importante não deixar nenhum espaço em branco. Em seguida, deve ser passado nanquim por cima. Depois de seco, deverão desenhar formas abstratas com uma agulha, de maneira que o nanquim seja removido e apareça o colorido que está por baixo.

• Produzindo textos

Os alunos deverão fazer um texto com o seguinte tema: no final do livro *Mari Miró e o Cavaleiro Azul*, Felipe e Mari entram no museu, cuja fachada é esta obra. O que acontece lá dentro?

13. TRIÂNGULO NEGRO

a) Apreciação

b) Contextualização, reflexão e discussão sobre a obra

Para contextualizar a obra, é importante refletir sobre a seguinte afirmação: "Este desenho aparece no

---

3. PINA. Direção: Wim Wenders. São Paulo: Imovision, 2011. 1 DVD (106 min), NTSC, color. Título original: Pina.

livro de Kandinsky, *Ponto, Linha, Plano,* de 1925, e foi provavelmente realizado a seguir ao quadro a óleo. Os diagramas deste tipo têm por função salientar as principais estruturas lineares de uma composição pictórica, sublinhando assim o aspecto construtivo da criação do quadro" (Ulrike Bechs-Malorny).
Fale sobre a Bauhaus para os alunos.

c) Fazer artístico

• **Relacionando ideias**

Os alunos deverão criar um fantoche (dedoche, desenho tridimensional com massinha ou apoio) para a realização de um pequeno teatro. Forme grupos de cinco alunos e avise que todos serão seres "triângulos negros": Como eles vivem? Do que se alimentam? O que procuram? Eles precisam trabalhar?

• **Produzindo imagens**

Em duplas, os alunos deverão produzir um móbile com arame e papel-cartão.

• **Produzindo textos**

Peça aos alunos para registrarem em um pequeno conto as ideias exploradas no tópico "Relacionando ideias".

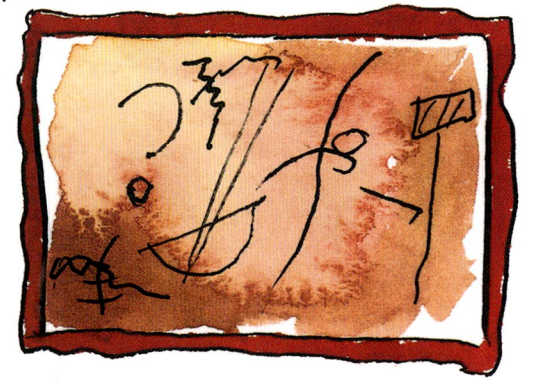

COMENTÁRIOS SOBRE A EXECUÇÃO DAS ATIVIDADES

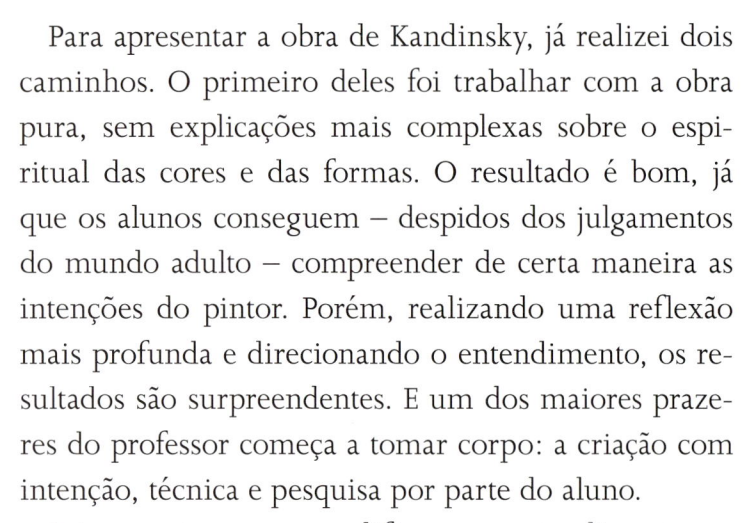

Para apresentar a obra de Kandinsky, já realizei dois caminhos. O primeiro deles foi trabalhar com a obra pura, sem explicações mais complexas sobre o espiritual das cores e das formas. O resultado é bom, já que os alunos conseguem – despidos dos julgamentos do mundo adulto – compreender de certa maneira as intenções do pintor. Porém, realizando uma reflexão mais profunda e direcionando o entendimento, os resultados são surpreendentes. E um dos maiores prazeres do professor começa a tomar corpo: a criação com intenção, técnica e pesquisa por parte do aluno.

Interessante para exemplificar este entendimento seria ler a história de Mari e Felipe na Rússia, uma vez que nesta história até os personagens que gostam de arte encontram dificuldade para entender a abstração e, para entendê-la, percorrem o caminho de Kandinsky desde os primeiros trabalhos.

É importante salientar uma realidade visível a olhos nus, mas extremamente peculiar: a abstração de Miró é muito diferente da de Kandinsky. Com o primeiro, há a utilização de cores e formas infantis, além de forte veia surrealista. Já Kandinsky, embora utilize cores e formas parecidas, absorve-se em pesquisas mais densas e, por vezes, excêntricas, como revelam suas teorias.

É indicado trabalhar Kandinsky nas turmas em que o professor consiga conduzir uma aula reflexiva, com alunos abertos a novas experiências sensoriais. Portanto, é necessário vínculo e confiança do grupo com o professor. Não há idade recomendada.

É um desafio, mas o resultado vale a pena.

REFERÊNCIAS BIBLIOGRÁFICAS

Educação:

BARBOSA, Ana Mae. *A imagem no ensino das artes.* São Paulo: Perspectiva, 2010.

_____. *Abordagem triangular no ensino das artes e culturas visuais.* São Paulo: Cortez, 2010.

_____. *Arte-educação no Brasil.* São Paulo: Perspectiva, 2002.

MACHADO, Maria Silvia Monteiro; TATIT, Ana. *300 propostas de artes visuais.* São Paulo: Loyola, 2003.

Wassily Kandinsky:

BECKS-MALORNY, Ulrike. *Kandinsky.* Rio de Janeiro: Taschen do Brasil, 2007.

BUJOK, Elke (Herausgeberin). *Der Blaue Reiter und das Münchner Völkerkundemuseum.* München: Hirmer Verlag, 2009.

KANDINSKY, Wassily; CABRAL, Álvaro (trad.). *Do espiritual na arte e na pintura em particular.* São Paulo: Martins Fontes, 1996.

INDICAÇÕES DE LEITURAS COMPLEMENTARES

CARPEAUX, Otto Maria. *As revoltas modernistas na literatura.* Rio de Janeiro, Ediouro, 1968.

GOLDWATER, Robert. *Primitivism in modern art.* Cambridge/London: Belknap Press of Harvard University, 1986.

KANDINSKY, Wassily. *Do espiritual na arte e na pintura em particular.* São Paulo: Martins Fontes, 1996.

_____. *Ponto e linha sobre plano.* São Paulo: Martins Fontes, 1997.

KLEE, Paul. *Diários.* São Paulo: Martins Fontes, 1990.

_____. *Sobre a arte moderna e outros ensaios.* Rio de Janeiro: Jorge Zahar, 2001.

LICHTENSTEIN, Jacqueline. (org) *A pintura- vol 7: O paralelo das artes.* São Paulo: Ed 34, 2005.

_____. *A pintura- vol 8: O desenho e a cor.* São Paulo: Ed 34, 2006.

NAVES, Rodrigo. *A forma difícil: ensaios sobre arte brasileira.* São Paulo: Atica, 2001.

NETTO, Modesto Carone. *Metáfora e montagem.* São Paulo: Editora Perspectiva, 1974.

PEDROSA, Mário. *Modernidade Cá e Lá.* Org. Otília Arantes. São Paulo: EDUSP, 2000.

_____. *Política das Artes.* Org. Otília Beatriz Fiori Arantes. São Paulo: Editora da Universidade de São Paulo, 1995.

PERRY, Gill. *Primitivismo, Cubismo, Abstração: Começo do século XX.* São Paulo: Cosac & Naif, 1998.

Roger Drakulya

Vivian Caroline Fernandes Lopes nasceu em 1982, em São Paulo. É educadora social e atua principalmente em projetos com crianças e adolescentes na área de incentivo à leitura e escrita. Doutora em Literatura Brasileira, estuda a relação entre palavra e imagem, poesia e pintura, literatura e artes. Foi vencedora do Prêmio Jabuti 2015 na categoria Didático e Paradidático com a Coleção Arte é Infância.